tie

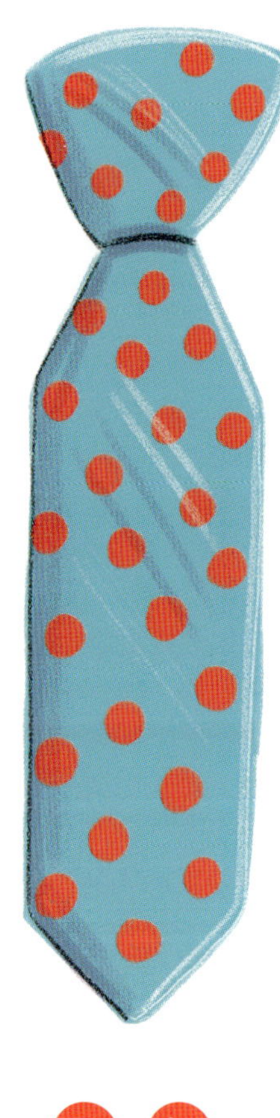

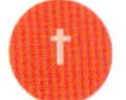
t

ie

bee

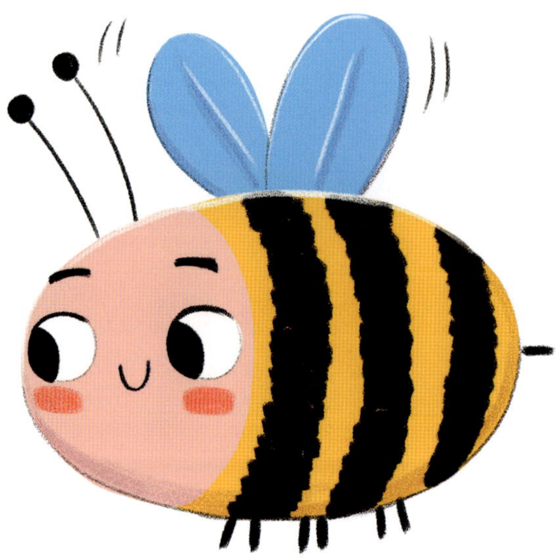

b

ee

jam

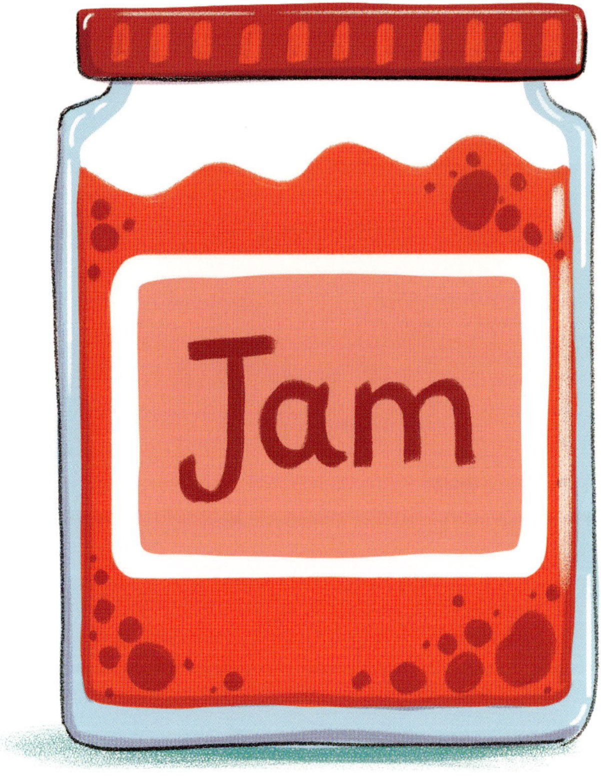

Jam

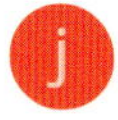

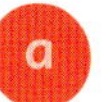

road

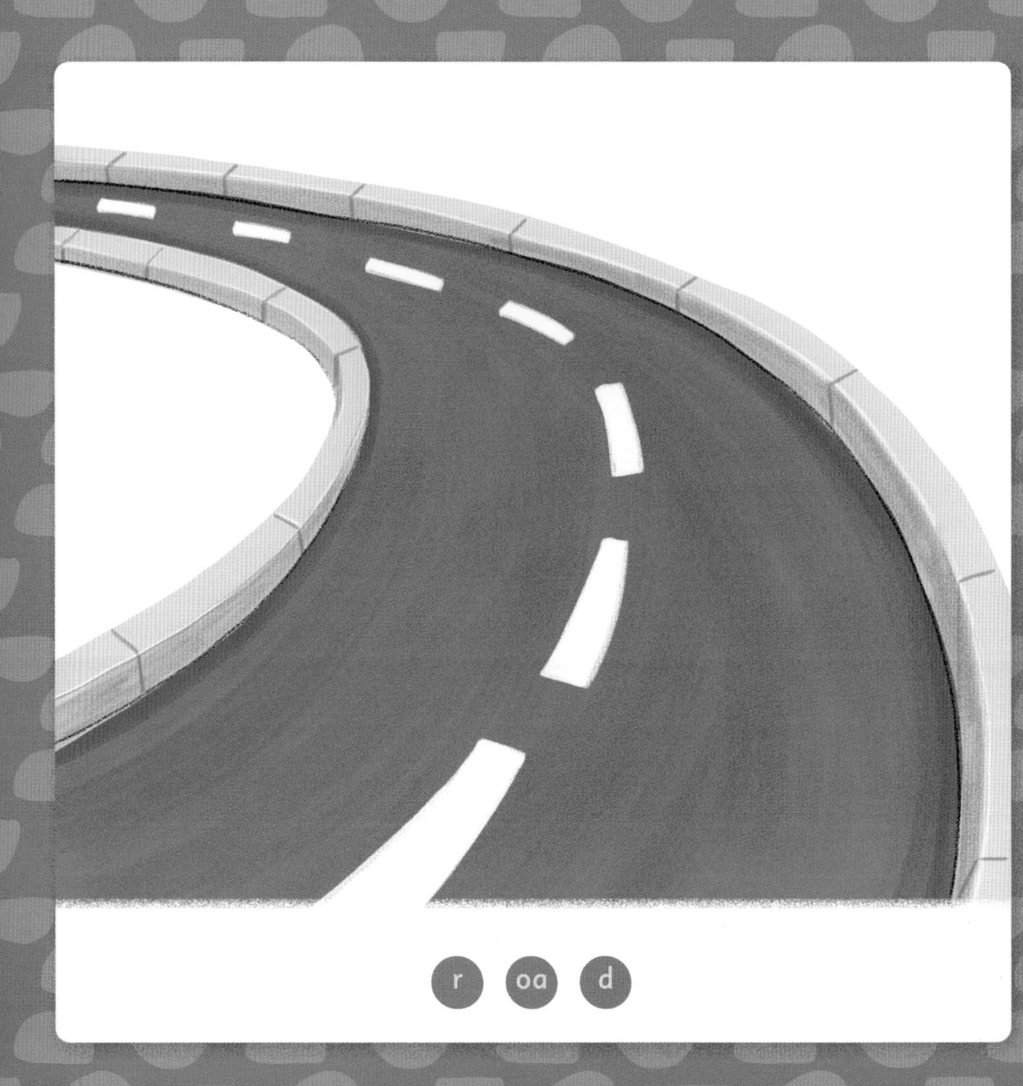
r
oa
d

leek

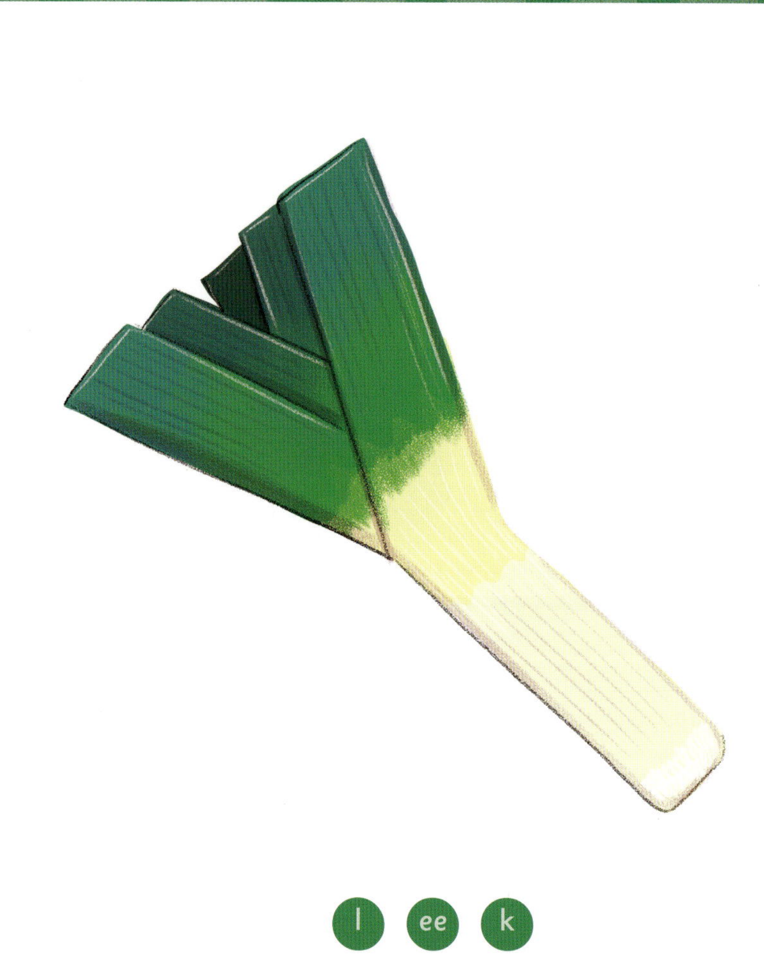
l ee k

jump

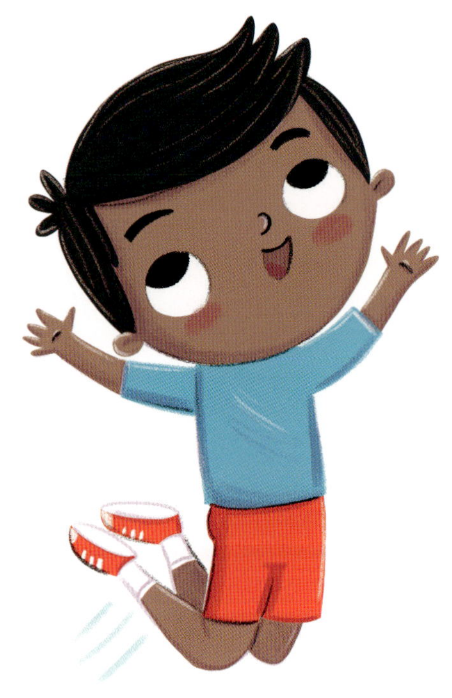

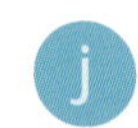
j

u

m
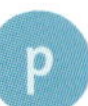
p

snail

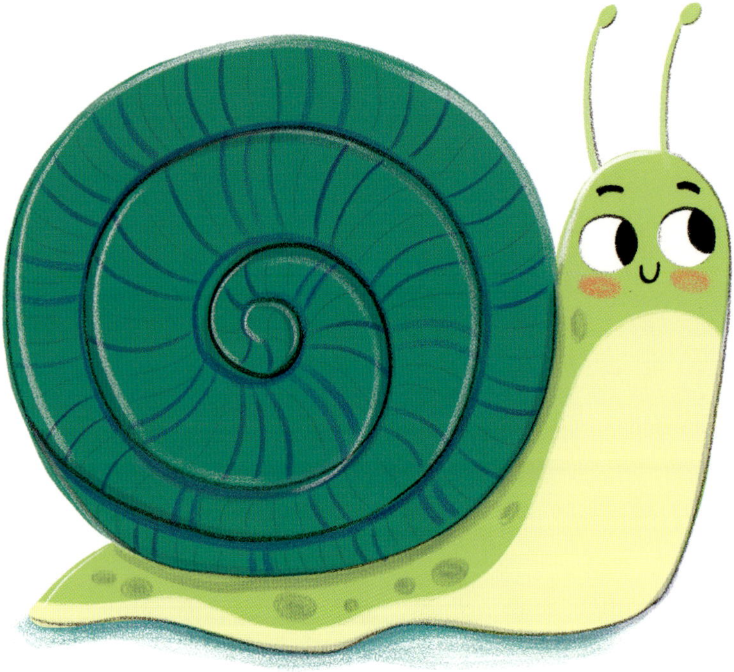

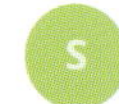
s

n
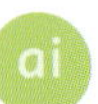
ai

l

popcorn

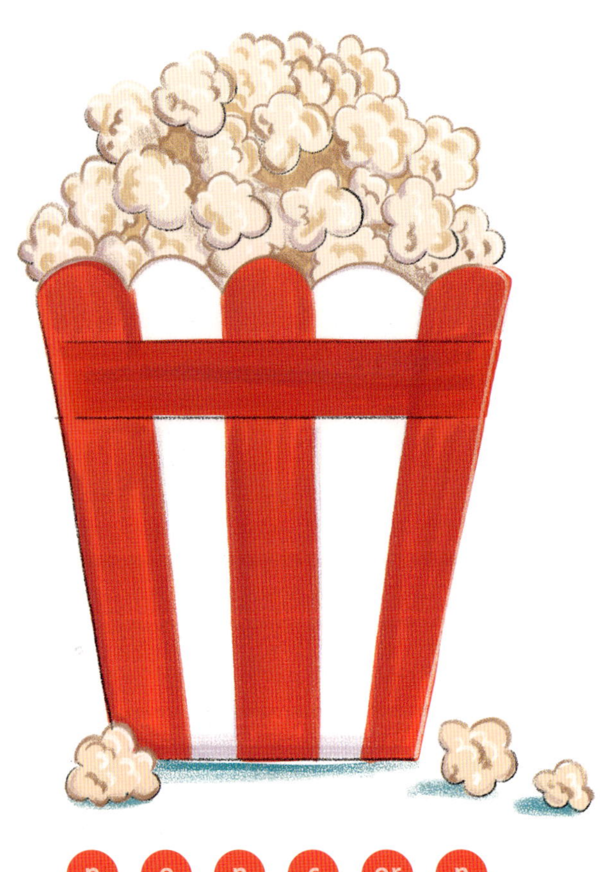

p o p c or n